Chwilio am Drysor

Straeon Sali Mali

Chwilio am Drysor

Stori Siân Lewis
yn seiliedig ar sgript wreiddiol Meinir Lynch

Lluniau Cynyrchiadau Siriol

CYMDEITHAS LYFRAU CEREDIGION Gyf

Roedd Sali Mali'n darllen stori i Jac Do.

Yn y stori roedd plant yn chwilio am drysor mewn twll yn yr ardd.

'Beth sy yn y twll, Jac Do?' holodd Sali Mali. 'Beth ydy o?'

'Crawc-cr-caawr!' meddai Jac Do.

'Da iawn ti,' meddai Sali Mali. 'Cist drysor yn llawn o aur.'

'Crawc-cr-caaawr!' meddai Jac Do'n gyffrous.

Pwyntiodd yr aderyn bach at y ffenest.

'Eisiau mynd i chwilio am drysor yn yr ardd wyt ti, Jac Do?' holodd Sali Mali'n syn.

'Crawc!' meddai Jac Do.

'Yna i ffwrdd â ni,' meddai Sali Mali.

Cloddiodd Sali Mali â rhaw. Cloddiodd Jac Do â'i big.

'Dyma hwyl,' meddai Sali Mali. 'Palu am aur yn yr ardd.'

Yn sydyn trawodd pig Jac Do yn erbyn rhywbeth caled yn y pridd.

'Cr-AW-c!' llefodd.

'Tyrd, Jac Do,' meddai Sali Mali. 'Helpa fi i dynnu. Hwyrach mai cist drysor sydd yna!'

Tynnodd Sali Mali a Jac Do eu gorau glas. Tynnu a thynnu … a thynnu …

WHIST! Tasgodd y peth caled o'r pridd.
'O, dyna siom,' meddai Sali Mali. 'Hen
decell yw hwn nid cist drysor!'
'O, crooowc!' meddai Jac Do.

Dechreuodd Jac Do gloddio unwaith eto.

'Crawc?' Roedd rhywbeth oer a chaled yn y pridd; rhywbeth tebyg iawn i – drysor.

'CRAWC CRAWC!' gwaeddodd Jac Do ar Sali Mali.

'Aros eiliad!' meddai Sali Mali. 'Mi ddo i draw i helpu.'

Rhoddodd Sali Mali ei llaw yn y twll.

'Crrrawc!' Neidiodd Jac Do i fyny ac i lawr yn gyffrous.

O'r diwedd tynnodd Sali Mali ei llaw o'r
pridd.

'Edrych, Jac Do!' meddai. 'Edrych beth
oedd yn y twll. Taten hyfryd, flasus!'

'O, crowwwc!' llefodd Jac Do'n siomedig.

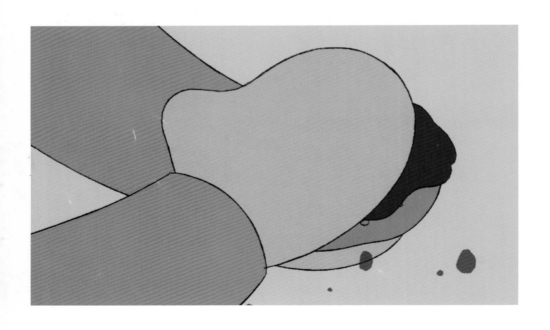

'Am lwcus,' meddai Sali Mali. 'Mae'r ardd yn llawn o datws brown.'

'Cr-hy-wc!' Cerddodd Jac Do i ffwrdd a'i ben yn ei blu.

'O, paid â bod yn siomedig, Jac Do!' meddai Sali Mali. 'Tyrd. Mi awn ni â'r tatws i'r tŷ ac mi ddangosa i rywbeth i ti.'

Torrodd Sali Mali dair taten yn eu hanner. 'Edrych, Jac Do,' meddai. 'Dwi'n mynd i dorri siapiau ar y tatws: siâp cylch, siâp sgwâr a siâp seren.'

'Crawc?' meddai Jac Do.

'Dyma focs gwag a phaent o wahanol liw,' meddai Sali Mali. 'Wyt ti'n meddwl y medri di stampio patrwm ar y bocs efo'r siapiau tatws?'

'Cr-ew-c!' meddai Jac Do. Roedd o'n hoffi gwneud patrwm.

Stamp! Stamp! Stamp! Stamp! Stamp!

Cyn hir roedd y bocs yn batrymau drosto.

'Da iawn, Jac Do!' meddai Sali Mali. 'Mae'r bocs yn harddach o lawer na chist drysor. Rŵan, tyrd i weld beth sy gen i ar gyfer dy swper.'

'Cra-ha-ha-hawc!' chwarddodd Jac Do. Ar ei blât roedd sglodion. Sglodion aur.

'Mi drois i'r tatws brown yn sglodion aur,' meddai Sali Mali. 'Mi gawson ni drysor yn yr ardd wedi'r cyfan!'

'Mmm–mmm…' meddai Jac Do.

Yn ei wely y noson honno cafodd Jac Do stori am ferch ac aderyn bach yn darganfod sglodion aur.

'Nos da, Jac Do, fy nhrysor bach i,' meddai Sali Mali.

'Mmmm-crawc,' meddai Jac Do.

Cyhoeddwyd gan Gymdeithas Lyfrau Ceredigion Gyf.,
Ystafell B5, Y Coleg Diwinyddol Unedig, Stryd y Brenin,
Aberystwyth, Ceredigion SY23 2LT.
Argraffiad cyntaf: Awst 2001
Hawlfraint y cyhoeddiad © Cymdeithas Lyfrau Ceredigion Gyf. 2001

Stori gan Siân Lewis
yn seiliedig ar sgript wreiddiol Meinir Lynch
a ysgrifennwyd ar gyfer Cynyrchiadau Siriol ac S4C.
Cymeriad a grëwyd gan
Mary Vaughan Jones yw Sali Mali.

ISBN 1-902416-51-1

Diolch i adrannau Cyngor Llyfrau Cymru am bob cymorth.
Dyluniad gan Gary Evans.
Argraffwyd gan Wasg Gomer, Llandysul SA44 4QL.